장선숙 시집

이렇게 좋은 날 2

만남, 영원의 사랑

이렇게 좋은 날 2
만남, 영원의 사랑

발 행 | 2023년 12월 14일
저 자 | 장선숙
펴낸이 | 유철기
펴낸곳 | 트랜스포마인드코리아
출판사등록 | 제 2022-000048 호
주 소 | 서울특별시 금천구 가산디지털1로 168, B동 201-18호 (가산동)
전 화 | 010-2258-8346
이메일 | support@trans4mind.co.kr

ISBN | 979-11-966227-7-0

이렇게 좋은 날 2

장선숙 시집

목차

제1부 만남

제2부 사랑

제1부

만남

호박 아이스크림

호박 아이스크림을
처음 만났을 때
고향 같았다

노란 빛은
따뜻한 마음 같았다

입 안에 들어가니
더 정겨웠다

호박 맛은
내 마음의
고향 같다

(문학고을 문예지 등단 신인 문학상 공모 당선작)

홍시

감의 속살 색깔이
너무나 이쁜 주황색
마치 저녁노을 빛 같다

너무나 달콤해
내 입안에서
즐거운 음악이 요동친다

아~~
정말 행복한 맛이다

커피

커피는
그때 그때마다
향기와 마음이 다르다

내 마음에 사랑이 많으면
사랑의 커피가 되고
내 마음에 감사가 많으면
감사의 커피가 되고

그 중에서도
남편이 타 주는 커피는
제일 맛있다

항상 남편이 커피 탈 때는
그 커피에
감동과 사랑이 있기 때문이다

남편은 내가 좋아하는 커피 맛을
잘 알고 잘 타 준다
그래서
남편의 커피를 참 좋아한다

남편은 커피 탈 때마다
이렇게 한번 해 보고
저렇게 한번 해 보고
이 맛일까? 저 맛일까?
생각을 많이 한다

매일 타는 커피지만
그 커피가 쉽지는 않나 보다
왜냐하면 나의 입맛도
쉽지가 않기 때문이다

그러면 남편이 다 수용하고
타 주기 때문에
너무나 맛있는 감사의 커피다

그래서 오늘도
남편과 함께 하는 커피가
참 좋다

밥솥

밥은
밥을 할 때
밥솥에 하는 일이 있다

밥솥에 쌀을 넣었을 때
잘 시간을 맞춰서
밥이 완성되어진다

그런 밥을 봤을 때
우리의 마음과 인생도
밥솥 같이
그 시간과 뜸들임과
과정이 필요하다

그러나 그 과정은 보이지 않고
결과만 볼 때가 많다

잘 숙성되고 밥이 잘 지은 밥이
쫄깃쫄깃하고 맛이 있듯이
우리 인생도
쓴맛 단맛 걸쳐 있을 때
그 아름다운 열매를 봤을 때
얼마나 달고 아름다우며
그 인생이 축복된 지
우리는 밥솥을 통하여 배울 수 있다

그런 밥솥을 통하여
우리 인생과 함께
더 많은 것을 줄 수 있는 것을 볼 수 있고
또한 우리 인생의 수고로움이
밥솥과 같이
더 많은 맛있는 밥을 만들듯이
우리의 아름다운 인생도

분명히 그 숙성 과정을 통하여서
피어나리라 믿고 살아가는
우리들이 되자

누룽지 삼계탕

누룽지는 요술쟁이
겉은 꼬들꼬들
입안에 들어가면
쫀득쫀득이로 변한다

씹으면 씹을수록 재미있게 입안에서
고소함으로 요동친다

닭은 요술쟁이
우아한 자태는 사라지고
건강한 요리로 변신했네
그로인해 삼계탕이 되었네

닭과 누룽지는 좋은 인연으로 인해
건강한 맛을 낼 수 있고
그 속에는 마음을 녹이는 따뜻함이 있다

건강한 맛이 풍미를 자극하여
마음을 따뜻하게 품어준다

누룽지와 닭의 잘 어울려
좋은 에너지와 사랑이 묻어 있네

좋은 사람과 같이 먹으니
그 맛이 배가 되어
감사가 묻어나네

좋은 인연으로 인해
깊은 맛과 건강한 맛을 낼 수 있듯이
우리들도 서로에게
아름답게 꽃 피워줄 수 있는 인화가 되길

굴이랑 조개랑

굴이랑 조개가 태어난 곳은 달라도
조그마한 수족관에서 만났네
서로를 보면서 같은 마음이 들어
금방 친해졌네

바라만 봐도 마음의 창을 볼 수 있고
서로의 아픈 곳을 비벼주고
기쁠 때는 자기의 속살을 자랑하면서 드러냈네

어느 날 다른 곳으로 이사를 갔네
따뜻함이 넘쳐 아주 뜨거운 곳으로

그들은 온탕 속에서 최대한 입을 크게 벌려
자신의 아름다운 속살을 마음껏 드러냈네
생애 최고의 마지막을 위해
우유 빛 눈물을 흘렸네

모과 차

겉모양이 볼품없다고
사람들은 눈길 한번 주질 않네

너무 속상해 슬펐지만
내 마음을 보여주기로 생각했네

은은한 귀품 있는 향기를
내뿜으면 내뿜을수록
사람들은 이쁘다고
관심 갖고 사랑해 주네

내 마음의 향에 매혹되어
집에 두고 싶어 하고
내 속살이 좋다고
차로도 만들어 먹네

나를 소중하고
가치 있게 여겨줘서 감사하고
누군가에게 따뜻한
향기로 남고 싶네

레몬 차

노오란 레몬 진액이 차로 변신하여
풍미를 자극하네

어떤 맛일까 궁금했는데!

이른 아침에 창문을 열면
코끝으로 들어오는 상큼한 공기의 맛이네

마른 잎에 촉촉이 물을 주어 생기가 나듯
피곤한 몸과 마음이 회복되니
대단한 장점을 가졌구나

우리는 금세 친해져 자주 만나니
몸과 마음이 힐링 되네

노란색이 눈을 따뜻하게 하더니
마음도 따뜻하게 물들여
따뜻함을 전하게 하는구나!

우리들의 마음에도
훈훈한 봄이 올 것 같네

감 말랭이

감으로만 살고 싶었는데
정성스러운 손길로 빚어
햇빛을 온몸으로 맞이하니
쫄깃쫄깃한 식감이 사랑을 담네

자식 챙기는 수고로운 손길 생각하니
마음이 달콤하고 가슴이 뜨거워지네

부모의 마음을 알기에
그 사랑이 얼마나 큰지
우주에 비할 바가 아니네

말랭이 하나하나는
마음의 고향을 먹고
그리움을 품어내네

정겨움이 넘쳐 추억을 생각하니
옛날의 그 맛이 그리워지고
어머님의 자식 사랑에 감사하네

캘리포니아 추억

망고 단맛에 반했네

달콤함이 사카린보다 더 달고
과즙이 촉촉해 입안에서 굴림이
롤러스케이트 탄 것 같네

즐겁고 경쾌함의 탄성을 지르는 순간
벌써 저 밑으로 흐르고 있네

잠깐 놀다 간 게 아쉽지만
혀의 미각을 춤추게 해줘 감사하네

상혁이네서 먹은 맛이랑 똑같아
첫사랑 망고가 생각났네

망고

껍질을 벗기니
속살이 진노랑 빛
너무 보드랍고 말랑말랑하며
달콤한 과즙이 뚝뚝 손목을 타고
수돗물처럼 흘러내리네

많은 시간동안 수고로움이 보이네
군침과 동시에 입안에 머물지 않고
사르르 아이스크림 녹듯이 가버리네

맛있는 데
입의 공허함은 무엇일까?
더 붙잡고 싶은데
너무 빨리 가버리는구나!

달콤한 사랑도 잠깐이네!

여섯 가지 맛의 아이스크림

사랑의 맛 분홍이
아름다움을 고수하는 기품의 향수가 멋드러지고
시원한 맛 민트가 있어
상쾌하고 더위를 이기는 힘을 주니
노랑이가 아쉬워 마음을 따뜻하게 녹여주며 안아 주는데
하얀이도 그냥 있을 수 없어
묵은 마음의 때를 닦아주어 맑아지니
아쉬워서 쵸코점을 찍어주어 별세상을 이루네

깔끔하고 조용함을 자랑하는 녹색은 피로를 풀어주어
하루를 보내는데 즐거움을 선사하네

여러가지 조화로움에 경이함을 만져주니
위대함에 고개 떨구네

호박 파이

너를 처음 만난 순간
설렘도 잠깐

부드러운 촉감에 놀라
호흡하기도 힘겨워하는 순간
너는 사라지네

놀라운 감미로움 선사하고
온유함에 감성을 자극하니

선선한 가을바람에
달콤한 온기가 스며드네

시인 등단

세상의 아름다움을 시로 나타내고
사랑이 아름다워 시로 나타내고
가슴의 흥분을 시로 나타냈더니
시인이 돼 버렸네

가족의 응원으로
시 꽃을 피울 수 있게 해줘
너무 감사하고 고맙고
사랑합니다

시 꽃이 더 아름다움을 나타낼 수 있도록
작은 꽃샘을 잘 길러야겠다

제2부

사랑

남편의 회갑

당신은 나의 정원이고
나는 그 곳에서 꽃을 피워요

힘들 때 버틸 수 있는 단단한 뿌리를 주고
바람이 불 때 흔들흔들하나 꺾이지 않고
때로는 햇빛을 주어
꽃도 피어나고 나비도 날아다니네

그곳에서 아름다움도 볼 수 있고
희망도 갖고 멋진 꿈도 꿀 수 있다네

지금보다 더 멋진 정원에서 열매를 맺어
풍성한 인생을 보냅시다

당신이 있어 가능하고
멋진 꿈을 꿉니다

지금까지 잘 살아왔고
앞으로의 당신의 여정을 응원합니다

당신을 많이 많이 사랑해요

(문학고을 문예지 등단 신인 문학상 공모 당선작)

이쁜 우리 가족

내가 힘들 때
따사로운 햇볕이 눈 녹이듯이
가족은 따뜻한 존재다

마음을 사랑의 온도로 높여준다
그 사랑으로 꽃도 피우고 열매도 열린다

너무나 아름답고 이쁜 우리 가족
감사가 춤을 추며 훨훨 날아요

함께 해서 너무 좋고 행복해요~~^^

딸의 승진

너무나 기쁘다
딸의 승진

벌써 3년이 지났네
힘들 때도 많았고
어려움도 많았지만
잘 이겨낸 딸이
참 아름답고 자랑스럽다

나의 이쁜 딸
앞으로도 여러 가지 일이 있겠지만
더 좋은 일이 많이 있을 것이며
풍성한 미래를 준비하는 거라고 믿어

새싹이 줄기가 되고
꽃봉오리 되어 꽃을 피우듯이

더 크게 피어날
꽃보다도 더 이쁜 딸
축하하고 사랑한다

엄마 딸이어서 너무 좋다

마음의 보석이 많이 나와
많은 사람을 기쁘게 하고
행복 했으면 좋겠다

쌍화탕

쌍화탕은 마음의 온기와 사랑이 있다
먹는 순간 따사로운 햇살의 온기가 들어가듯
몸을 녹이고 건강한 맛을 낸다

아울러 딸의 사랑의 양념이 있으니
마음과 몸이 따뜻하다
더 달콤한 사랑을 말하고 싶고
감사와 고마움을 표현하고 싶다
장미꽃보다 더 아름답고
사랑의 향기가 많은 딸에게
많이 많이 사랑한다고 말하고 싶다

사랑하는 딸은 우리에게 보약과 같아
인생의 비바람과 세파에서
우리를 꿋꿋하게 지켜왔다
사랑한다 우리 딸!

우리 엄마

오로지 자식만 사랑하고
자식을 위해서 일만 해온 우리 엄마

자신을 위해 맛있는 음식엔 입도 못 대시고
값나가는 옷 한 벌 제대로 사 입지 않으시고
일하다가도 자식이 오면
이것저것 반찬 담아주는 손길은 더 바쁘네

자식을 온 정성으로 키웠으면
호강할 줄 알았는데
지금도 계속 몸의 아픔을 안고 일하는 엄마

이제는 몸도 약해지고 다리도 아파
자꾸만 키가 작아지네
그러나 자식 사랑하는 마음은 더 커지네

힘들 때 버팀목이 되어주고
양분도 부어 주는 엄마가 있어 살아갈 수 있었네

엄마! 죄송하고, 고맙고, 감사합니다

엄마라는 단어를 많이 불러보고 싶다
엄마가 있어서 부를 수 있기에

엄마 많이 사랑해요

결혼기념일

결혼기념일을 깜박 잊고 있었는데
이쁜 딸들이 카톡에 축하한다는 메시지를 남겼네

딸들이 최고구나! 기쁜 마음으로 집에 왔는데
케이크가 배달 왔네
사랑이 배달 온 거 같아 감동 먹고 있었는데
화병에 이쁜 꽃이 꽂혀
향기 듬뿍 담고 집에 꽃이 왔네

이쁜 딸들의 달콤하고 진한 사랑의 향기가
아빠 엄마를 향해 퍼붓고 있네
엄빠 결혼기념일 축하드린다고

의미 없이 지낼 뻔했던 날을
의미 있게 소중하게 만들어준 이쁜 보배들!

서로를 사랑하고 버팀목을 단단하게 해준

우리의 가장 소중하고 귀한 딸들

감사하고 사랑해요

사랑 보따리

문 앞에 놓인 상자 열어보니
엄마의 사랑 표 물건들이
환하게 미소 짓고 있네

옹기종기 쌓여진 비닐봉지는
엄마의 따스함을 담고 왔네

나의 손길은 그 사랑을
펼치면서 맛을 보는데
엄마의 맛은 누구도 뽐낼 수 없는
최고의 레시피

밥 한 그릇 금새 뚝딱
또 먹고 싶은 마음이 가득
배가 부른지도 모르네

그 어떤 영양제보다도 더 좋은
이 세상에 하나밖에 없는 엄마의 맛!

항상 그리워하는
그 맛은
엄마의 품이고
엄마의 전부!

오래도록 기억하고
간직할 깊은 사랑!

남편

말하고 싶어도 다 말하지 않은 당신
힘들어도 힘들다고 말하지 않은 당신
슬퍼도 슬프다고 말하지 않은 당신
좋은 것만 보여주고 좋은 말만 하는 당신
가족한테 더 멋진 아빠 · 남편이 되고픈 당신
그런 당신을 사랑합니다

가족들의 만남

그리운 가족들이 오랜만에 모두들 만났네

멀리서 와주니 어찌 반갑지 않은가?
말이 필요 없네

얼굴들을 보니 금방 알아보네
깊은 곳에서 맑은 샘물이 솟아나듯 맑고 환하네
반갑다고 보고 싶었다고

너무 정겨움이 넘쳐
만져도 보고 안아도 보고
그 마음이 전달되네
사랑한다고

서로들 못다 한 얘기 나누며
달콤한 담소가 꽃을 피우네

만남이 봄을 맞이하듯 따뜻하고
이쁜 얼굴들을 보니 웃음이 하하하 넘치네

마음으로는 다 보여줄 수 없지만
소중한 가족
건강하고 잘 지내길 부탁하네

헤어짐이 아쉬웠지만
다음에 만나길 기대하며
사랑함을 전하네

딸과의 외출

얼굴도 봄이 왔네요

사랑하는 딸들로 인해
눈썹과 속 라인을 이쁘게 그렸더니
꽃이 되었네요

엄마가 멋지고 이쁘길 바라는
사랑의 마음이 많다 보니
예약도 해주고 케어도 해주고
수고가 너무 많았답니다

이쁜 딸들 사랑으로
봄이 왔네요

따사롭고 향기가 진한
감사의 꽃이 활짝 피었네요

지지도 않고 떨어지지도 않는
사계절 피는 꽃
귀중한 선물 주니
깊이 간직하며

멋진 봄을 맞이하게 해주어
고맙고 사랑합니다

꿈같은 하루

떨리는 마음으로 시작한 간증
마음이 울컥하여 눈물이 흐르고
한 마디 한 마디 체험의 단어들은
옥구슬 되어 심중에 날리네

청중은 모두 숨을 죽이며
토끼 귀가 되었네
이쁜 꽃의 향기 눈물이 진해
우리들의 마음을 물들이니
같이 짓무르네 같이 젖어 드네

흔들리지 않는 든든한 뿌리
모진 비바람도 불지만
반짝반짝 햇살도 주니
새들도 가족이 되어
기쁨의 잔치를 벌이네

누군가에게 그늘 되어
마음의 쉼터가 되고
치유의 장이 되니
기쁨의 장소 되네

앞으로 마주할 수많은 경험은
더 멋진 열매를 맺을 것이며
떨리는 마음으로 하나하나 이루어가는
성취감을 맛볼 것이네

귀한 보석을 만들기 위한
주님의 계획에 감사하며
멋진 딸의 인생을 축복함에 감사하고
지금까지의 많은 수고에
사랑하고 응원하네

어버이 날

비가 와서 날씨는 쌀쌀하나
사랑의 온도가 뜨끈뜨끈
마음을 녹이네

아름다운 꽃바구니는
이쁜 딸들의 사랑을 품고
옹기종기 모여 웃음꽃을 피우네
고맙다는 속삭임과 함께

케이크도 친구 되어
솜 위에 빙그르르 웃으며 꽃송이 되어
눈망울이 반짝반짝 거리네

사랑의 눈길이 따사함을 주고
이쁘게 키워줘서 감사하다고

딸들은 사랑의 띠를 몸에 두르고
기쁘게 웃으며 맛난 저녁을 대접하니

마음은 깊은 파도보다 더 뭉클하고
가슴은 감동의 흔적을 그리며
달콤한 샘물을 기억에 담네

멋진 특별한 날 선물 줘서
귀한보배 됐고
행복한 주머니 가득 채워 줘서
사랑의 씨 간직할 수 있어
그 수고에 감사하고 사랑해요
이쁜 딸들!

소망이

잔잔하게 파도치는 물결에
가슴을 열리게 하고
햇살에 빛나는 물결이
출렁출렁 일 때마다 빛나는 금빛으로
너무 좋아 가슴을 펼치게 하는
장점이 많은 이쁜 소망이

바람결에 흔들림만 봐도 날씨를 헤아리듯
엄마의 마음속에 들어와
무슨 향기가 나는지 다 아는 꽃나비

무지개 꽃을 다 피워주는
아름다운 씨가 많아
이쁜 꽃을 많이 볼 수 있고
맑은 샘의 향기가 많아
행복의 선물을 품으니

사랑의 열매가 많아
많은 사람들이 좋아하며
관계의 풍성함으로 좋은 인연이 되어
소망을 이루어 가는
멋진 인생을 응원하네

엄마한테 너무나 소중하고 귀한 이쁜 딸
엄마의 모든 것을 사랑해 주고
꿈을 이룰 수 있도록 힘이 되어 주어서 너무 감사하고
엄마가 살아갈 수 있는 힘이 되어 주어서 고맙네

많은 좋은 일이 항상 일어나며
소망의 열매를 설렘으로 볼 것이네

사랑해요 이쁜 딸

기쁨이

아침에 떠오르는 햇살이 눈부셔
눈을 뜰 수가 없고
비추는 햇살이 따사로워
바람결에 빛나는 금빛 나뭇잎 사이로
사랑을 전하는 전율이 많은 기쁨이

하늘에서 귀한 선물이
바람을 타고 내 품에 꽂히니
구름 속에 가려진 해와 달을 보듯이
엄마의 깊은 마음의 색깔도 금방 아는 센스쟁이

든든한 나무가 되어
바람막이도 되고 쉼터도 제공해주는
행복을 가꾸는 감성의 정원이 있어
꿀 샘을 만드는 재주가 많으니

꽃도 피고 맑은 향기가 많아
좋은 인연이 많을 것이며
앞으로의 멋진 사랑으로 인해
풍성한 열매를 맺을 것이네

엄마의 소중하고 너무나 귀한 보배

엄마 인생을 지지해주고
멋진 정원을 꾸밀 수 있는 용기를 주어서 감사하고
엄마의 살아가는 힘이 되어 주어서 고맙네

앞으로 좋은 일이 많이 이루어짐을 볼 것이며
하나하나 이루어가는 기쁨의 여정을 응원하네

사랑해요 이쁜 딸

엄마의 마음

가슴이 자꾸 아리네
억누르면 억누를수록 자꾸 아리네

그냥 엄마의 사랑 생각하니 아리고
엄마만큼 사랑하지 못해 아리고
자식 고생 안 시키려는 마음에 아리고
좋은 추억 주려고 노력하는 모습에 아리네

힘들어도 자신 돌보지 않고
다 주려는 마음이 보이기에 너무 아리네

기쁠 줄만 알았는데
보면 좋을 줄만 알았는데
찐한 사랑에
자꾸 눈망울에 이슬이 맺히네

주어도 주어도 주고 싶은 마음이 너무 많아
자신의 몸은 살피지 않는
삶의 흔적이 온몸에 묻어있네

항상 잘 하고 싶다고 또 다짐하지만
바쁜 삶 속에 세상 탓만 하네

먹구름 속에서 보이는 태양으로 인하여
노랗게 물들인 하늘을 아름답게 담듯이
사랑의 수채화를 선물 받았네

이쁜 올케

마음이 아름다워 좋은 향기가 난다
말하지 않아도 향기가 말한다
사랑한다고 좋아한다고
나는 그래서 좋다고
그런 올케에게 너무 고맙고
감사가 요동치네

우리 가족들이
이쁜 올케로 인해
더 풍성해지고
사랑의 울타리가 되 주어
꽃을 피울 수 있다

좋은 향기는 더 좋은 향기가 되어
사랑한다고 말 하고 싶다
그런 올케가 참 사랑스럽다

기쁜 소식

열매를 맺기 위해 강렬한 태양을
마음껏 맞이하는 마지막 여름
에어컨 바람보다 더 시원하고
더워도 덥지 않은 희소식이 배달 왔네

쉬지 않고 우는 매미 소리보다
더 크게 들리네
동생이 교장 되었다고

마음이 뭉클하니 너무 감사하고
그동안 고생을 생각하니
가슴이 울컥하네

뜨거운 태양에서도 꽃을 피우며
진한 향기로 자신을 나타내는
금잔화 같은 사랑스러운 동생

많은 경험과 능력을 선물 받았으니
하나하나 보따리를 풀 때마다
사랑이 풍성하길 바라네

꽃밭에 꽃이 하나 있을 때보다
다양한 꽃이 모여 조화를 이룰 때
감동은 두 배가 되듯이

그곳에서 멋진 정원을 만들길
응원하네

자랑스럽고 멋진 동생
축하하네

사랑스러운 민이

수많은 사람 중에 귀한 보석이
우리 가족과 인연 된 게 얼마나 소중한지
많이 사랑해 주고 싶은데
마음뿐이었고
많이 힘들었을 때 함께 하질 못해
미안한 마음이 가득

그냥 피는 꽃이 없듯
여러 가지 힘든 일 많았지만
지나고 보면 그것도 선물이고
풍성한 인생의 밑거름과 양분이라네

지금보다 더 멋진 많은
좋은 일들이 기다리고 있으니
설레는 마음으로 열매를 볼 것이라
믿고 응원하네

오직 하나뿐인 귀한 보배인 만큼
어디 가나 우뚝 서고 빛날 것이며
많은 사람들에게 기쁨의 보석이 될 거네

우리 가족과 함께 할 수 있어
고맙고
감사하고
사랑하네

친구

내가 힘들 때 너는 나에게 와
따뜻한 봄을 만들어 주었지
내가 싹을 틔우며 귀 기울일 때
잘 들어준 너

가지가 뻗으며 꽃을 피우면
너무 좋다고 향기도 잘 맡아주고
열매를 맺어 자랑하면
언제나 잘했다고 칭찬해 주는 너

너가 있기에
풍성한 매일매일을 보낼 수 있어
나는 행복했고 감사했다네

같이 다할 수는 없어도
마음은 항상 같이하고 있다네

내 마음 한구석에
보석 같은 너가 차지하고 있어
나는 행운아라고 생각하네

그런 너가 참 좋다

아름다운 만남

된장 맛같이 구수해서 만나고 싶고
김치찌개같이 익숙하고 편안해서 보고 싶은 사람들!

얼굴 표정만 봐도 다 읽을 수 읽고
잠시라도 못 보면 궁금하고
만나면 형형색색의 수다 잔칫상이 차려지네

따끈따끈한 온기가 있어 마음의 쉼터가 되고
정다운 사랑이 있어 웃음꽃을 피우네

배려와 세심함은 감동의 향기를 뿜고
섬기는 축복으로 대접받는 귀한 존재 되니
그 수고가 너무 보배롭네

좋은 분들과 지낼 수 있는
축복 된 만남이 얼마나 좋은지

항상 고맙고 감사하고 사랑하네

우리의 삶의 여정에 변화도 찾아오겠지만
우리들의 마음은 지금과 똑같을 것이라
더 소중하고 귀한 만남이네

축복

어느 날 내 마음속에
따사로운 온기가 들어오더니
이쁜 씨앗이 내 마음속에서 자라네

내게 물도 주고 햇빛도 주고 양분도 주어
우리의 이쁜 씨앗이 사랑으로 자라네

좋은 것을 보면 먼저 떠오르고
아프면 고통도 같이 하고 싶고
외로우면 달콤한 노래도 불러주고 싶은
나의 친구이자 소중한 사람!

그래서 우리는 같이 살 둥지를 마련했네
지금보다 더 이뻐해 주고
최고의 사랑을 해 주고 싶어서

살면서 좋은 것은 잘 가꾸어 꽃을 피우고
서로 맞지 않은 것은 존중해 주고
나쁜 것은 잡초라 생각하고 버리며
둘만의 소중한 꿀단지를 만들기 바라네

온 만물이 축복하며
둘만의 멋진 삶을 응원하네

귀요미 생축

세상에서 가장 귀한 보배 씨가 엄마 뱃속에 들어와
엄마의 따뜻한 사랑 듬뿍 받고 태어났네
온 우주가 기뻐하며 축복했네
너무나 예쁘고 소중하다고

하나님이 능력의 축복을 주었네
재주와 끼가 많아 많은 것을 할 수 있도록
음감이 있어 아름다움을 느낄 줄 아는 마음과
달콤한 감성도 주셨네

소중한 SO야!
마음껏 너만의 멋진 그림을 그리렴
잘해도 좋고 실수해도 좋으니
그런 경험이 쌓여 능력이 된단다
아직은 힘든 것도 많고 귀찮은 것이 있지만

꽃을 잘 보아라
씨가 싹이 되고 줄기가 되어 꽃을 피우듯
우리 삶에도 여러 과정이 필요하단다

무엇을 하든 멋진 SO이가 될 거라고 응원한다

귀한 보배 SO이
너의 멋진 탄생의 날을 축복하며
가장 행복하기를 바란다 사랑해!

정겨운 오찬

따스한 손길의 밥상을 보는 순간
눈은 즐겁고 마음은 감동이 울리네

얼굴의 표정과 준비한 손길은
수고로움이 없다고 말하나
음식을 보는 순간 금방 알 수 있네

하나하나 음식의 색깔과 맛의 조화가
식감의 풍미를 노래하고
사랑과 정성이 듬뿍 들어있네

맛도 좋았지만 예쁜 언니의 마음에
행복이 속삭이고 즐거움이 춤추었네

훈훈한 마음 잊지 않길 바라며
사랑의 선물이 감사를 물들이네

보냄

새들도 짝을 지어 날아가네
봄이 되니 따뜻한 보금자리 찾아
멀리멀리 이사 가나 보구나

친구도 봄이 되니
새로운 보금자리 찾아
멀리 이사 가네

마음이 이상하구나!!!
보내고 싶지 않지만
어쩔 수 없네
있을 때는 몰랐는데
많이 그리워할 것 같다

지금까지 해왔던 모든 것이
소중하게 느껴지고

미안함이 가득하네

마음이 추울 때 언제나 달려와
따뜻한 온기가 되어주고
항상 옆에 있어
든든한 나무이고 그늘이었는데

몸은 멀어도 마음은 항상 같이 있다는 거
좋은 추억 많이 주어서 감사하고
사랑의 선물 많이 받아서
행복이 물들었네

건강하고 잘 지내길 간절히 부탁하며
사는 곳이 행복하고 즐거운 곳이길 바라네
고맙고 너의 가는 길 축복하네

빛나는 보석

수많은 별 중에 유난히 빛나고
꽃 중에서 향기가 가장 많이 나는 귀한 꽃
그런 네가 소중하고 그 자체가 이쁘고 좋단다

손재주가 많아 만들기 좋아하고
음감이 있어 음악 듣기 즐겨 하며
글쓰기에 관심이 많고
책도 많이 읽는 문학소녀

하나님께서 다양한 경험을 할 수 있는
소중한 선물을 많이 주셨으니
인생의 좋은 양분이 될 거라고 믿네

하고 싶은 것도 많고 힘든 일 어려운 일도 있겠지만
그냥 피는 꽃 없듯이
한 고개 한 고개 넘어가면 큰 산이 보일 거야

어마어마한 멋진 여행이 너를 기다리고 있단다

앞으로도 경험해야 할 많은 여러 가지 일들이 있을 때마다
잘 할 수도 있고 실수할 수도 있겠지만
그때마다 설레는 마음으로
멋진 인생의 준비 단계라고 생각하길 바라네

너의 좋은 끼가 얼마나 많은지
네가 정말 자랑스럽단다

멋지게 펼쳐질 HS의 인생을 응원하며
생일 많이 많이 축하하고 사랑해요

정든 친구

구수한 누룽지 삼계탕이 익기까지 시간이 오래 걸리듯
많은 세월을 같이 했고 공유했기에
마음속에 깊은 샘이 있네

추억의 나무가 말하네

이쁜 꽃도 많이 피워주고
웃음의 향기가 차고 넘치니
친구들이 즐거워하고 행복해서 좋았다고

차츰차츰 세월이 흘러
나무도 변화가 많았네

비바람과 폭풍이 부니 너무 감당하기 힘들었으나
따뜻한 친구들의 온기가 있어
새잎이 나고 사랑의 열매가 맺혔네

점점 나이가 들수록 아름다움이 더해지고
귀한 나무가 되었네

햇살에 반짝이는 나뭇잎 하나하나가 이쁘고 소중하듯
좋은 추억 많이 담고 같이 할 수 있음에 감사하네

앞으로 삶의 많은 변화가 있겠지만
소중한 마음 전할 수 있는 따뜻한 마음 품었으면 하네

지금까지 해왔던 모든 것이 귀하고 감사하네

고향(방촌) 친구들

정겨운 목소리에 반가움이 가득하니
훨훨 날아가는 나비처럼
몸은 가볍고 가슴은 포근하네

설레는 마음은 바람을 타고
그리움을 실어 보내니
장미보다 더 이쁜 꽃들이 모였네

마음의 쉼터를 제공하니
웃음꽃은 넝쿨이 되어
담장 너머로 흘러가고
우리들의 마음이 온기로 하나 되어
서로의 숨결을 어루만져 주니
즐거움이 지구를 흔드네

있는 그대로여서 좋고

서로에게 베푸는 마음이 사랑이기에
감동받아 가슴을 울리고
아름다운 추억 선물 받으니
삶의 즐거운 소풍이었네

함께 했던 순간들이 귀하고 소중하며
멋진 친구들이 보물 샘을 만들어 주니
어찌 자랑하지 않을 수 있을까?

함박꽃이 활짝 핀 즐거움의 향기를
간직할 수 있게 만들어 준 친구들에게 고맙고
달콤한 여정을 만들어 준 모두의 수고에 감사하네

오랫동안 함께 할 수 있는 보물 창고가 있어
친구들이 참 사랑스럽네

미소

구름이 끼고 바람이 부는 날
주님만이 날 지켜주시네

찬양에 은혜를 받고 햇살이 찾아오니
잔잔한 샘물이 흐르네

고요함 속에 평온을 갈망한 마음에
목사님의 미소는 산들바람 같다
안개를 지워주니 사랑과 배려
용서가 기다리고 있네

미소를 기다리기 전에 먼저 웃고
감정 터치가 일어나
기쁨을 울릴 수 있는 공장이 되어
잠깐의 여운이 평안의 안식을 지어주네

시인 등단식

처음이라서 어색하고 갸우뚱 하네
시인이라는 직함이 익숙하지 않은
덜 익은 감자 맛!

등단식 마치고 나니
이름표가 붙은 것 같네

설렘과 퐁당퐁당 잔 물결치는
마음의 샘을 항상 갖고 싶네

아무리 꺼내도 마르지 않는
싱싱한 매력과 맛을 내는 양념으로
탄생되는 시인
바로 사랑하는 귀한 우리 가족이
사탕의 진한 단맛이고
후원자이자 애독자가 되어주어 가능했네

나의 소중한 남편과 이쁜 딸들
정말 감사하고
덕분에 행복해요

귀한 추억과
소중한 선물 주어서

문학고을 문예지 등단 신인 문학상 공모 당선작 심사평

장선숙 시인의 「눈 나비」, 「남편의 회갑」

눈이 오는 모습을 시인 각자가 다양하고 개성적인 표현으로 나타내어 풍성한 의미를 드러낸다. 「눈 나비」에서 눈은 나비가 되어 하늘에서 바람을 타고 내려온다. 춤을 추며 내려와 나뭇잎에 내려앉는다. 그것은 나비처럼 가볍게 하늘을 날아서 내려와 나무에 옷을 입히는 눈 나비라고 시인은 말한다. 그렇게 눈 나비가 겨울꽃을 피우면 눈부시겠다고 강조한다.

「남편의 회갑」에서는 남편에 대한 애정을 유감없이 드러내는 화자가 등장한다. 그는 자신의 정원이며 그곳에서 꽃을 피운다고 하며, 힘들 때 버틸 수 있게 해주며 바람이 불 때 꺾이지 않게 하며, 희망과 꿈도 갖게 한다고 자랑을 한다. 당신이 있어 지금까지 잘 살아왔고 앞으로도 행복할 것이라고 당신을 사랑한다고 힘주어 말한다.

장선숙 시인은 세상을 긍정하고 아름답게 보는 눈을 갖고 있다. 이에 표현이 긍정적이고 맑다. 이러한 표현으로 시를 창작한 점을 높여 등단작에 선정한다. 등단을 축하하며 더욱 정진하여 한국의 문단을 빛내는 작가로 대성하기를 바란다.

심사위원 김신영 조현민 양경숙

당선 소감문

세상의 아름다움을 시로 나타내고
사랑이 아름다워 시로 나타내고
가슴의 흥분을 시로 나타냈더니
시인이 돼버렸네.

가족의 응원으로
시 꽃을 피울 수 있게 해줘
너무 감사하고 고맙고
사랑합니다.

시 꽃이 더 아름다움을 나타낼 수 있도록
작은 꽃샘을 잘 길러야겠다.

생활 속에서 감동적인 느낌을 시로 표현할 때마다 가족 카톡 방에 올렸다. 가족들은 너무 반응이 좋았고 대단하다고 많은 응원을 해주었다. 덕분에 나는 시를 더 쓸 수가 있었고 나의 감성을 표출할 수가 있었다.

어느 날 사랑하는 딸들이 공모전에 한번 도전해 보라고 용기를 주면서 문학고을 공모전 안내문을 카카오톡으로 보내줬다. 내가 될 수 있을까 며칠 망설이던 중에 남편과 딸들의 격려에 힘입어 그동안 썼던 작품 중 5편을 골라 제출했다. 최근에 썼던 작품들이 당선작으로 선정되어 무엇보다 기뻤다.

내 마음을 잘 읽어주시고 격려해 주신 심사위원님들께 감사드립니다. 문학고을의 식구가 된 것을 자랑스럽게 생각하며 더욱 정진하겠습니다.

2023년 2월 5일 장선숙

사랑하는 딸들의 응원 메시지

우리 가족의 자랑과 기쁨
사랑하는 엄마의
시인 등단을 축하드려요

움트는 새싹
탐스러운 꽃
맛있는 음식
풍성한 주님의 은혜

엄마가 보고 느끼는 모든 것에
따뜻한 시선으로 생명력을 불어넣고
세상에 깊은 울림을 주는
시를 남겨 주셔서 감사드려요!

장 시인님의 영감 가득한 매일을 위해
우리 가족이 함께 힘을 더할 게요

사랑해요

장 시인님 1호 팬 유씨들